## 행복 이어달리기

날마다 행복해지는 일상 나누기

**발　행** | 2024년 3월 25일
**저　자** | 조인숙
**펴낸이** | 조인숙
**펴낸곳** | 설렘 미디어
**출판사등록** | 2024.1.18.(제2024-000018호)
**주　소** | 경기도 화성시 동탄중심상가 2길 8, 604-657A호
**이메일** | joink20070@naver.com

ISBN | 979-11-987111-0-6(03800)
가격 10,300원

# 행복 이어달리기

날마다 행복해지는 일상 나누기

# 프롤로그

글쟁이가 뭐 따로 있나요?
숨 쉬듯 밥 먹듯 끄적끄적 쓰면 되는 거죠.
꾸준히 블로그 포스팅하고 브런치 글 올리다 보니 어느새 글쟁이가 되어 『50대, 설렘의 시작』이라는 에세이 작품 출간 작가가 되었어요. 베스트셀러라는 타이틀도 가지게 되었습니다.

마음 생각과 일상의 삶을 글로 쓰고 그림 그리는 걸 하고 싶습니다. 90세 할머니가 되어도 손자 손녀들에게 어느 날 문득 엽서에 글과 그림을 손수 그려서 보내 주는 상상을 해 보네요.

저만의 이야기 글로 세상과 소통하며 따뜻한 온기를 전하고 싶습니다. 언제부턴가 글쓰기에 대한 목마름이 시작되었어요. 대단한 소재, 주제가 아니어도 매일의 일상에서 보고 듣고 겪고 느끼는 것을 글로 표현해 보니 또 다른 세상이 펼쳐지더라고요.

밀도 있는 삶이 밀도 있는 글을 쓰게 합니다. 뒷동산을 산책하다 바람에 나뒹구는 낙엽을 보며,

10년간 키우는 반려견이 지긋이 바라보는 눈길을 마주하며, 아침에 일어나 문득 팔과 다리와 머리가 멀쩡함에 감사를 느끼며, 오랜만에 만난 울 엄니의 희끗희끗한 머리카락과 주름에 차오르는 아픔과 애잔함을 느끼며,
그런 순간의 느낌을 글로 담고 싶습니다.

무엇보다 글을 쓸 수 있는 나만의 감성. 시간, 마음의 여유, 의자, 노트북에 감사하고 더 나아가 살아있음에 감사합니다.

모든 일상이 시 詩의 소재가 됩니다.

글쓰기는 나를 알아가는 과정이고 나를 단단하게 해 주는 힘이고 친구입니다. 그 앎의 과정에서 내가 나에게 주는 세상에 하나뿐인 선물입니다.

감사합니다.

2024년 3월
조인숙

# 목 차

## 프로포즈

너는 나의 발
너는 나의 집
너는 나의 휴식
너는 나의 반려자

우리 결혼할래?

# 이름 모를 꽃

내가 네 이름을 몰라도
서러워 마

내가 너의 향기와 미소는 기억할게
너의 손을 잡아줄게

# 전봇대

말도 없이 어두운 밤 홀로 서서
몸을 밝혀 세상을 비춘다

우리 아버지처럼

# 하늘 자전거

구름을 헤치며 하늘을 달리는 자전거

도착지는 어디일까?

별들이 노래 가루를 뿌리며 춤을 추는 그곳
우리 모두의 꿈이 노래한다

# 집사

냥이 이름은 애기
애기 짓을 한다네
다섯 살이 되어도 애기라네
애기야 내가 네 집사니까

내 집 사줘

# 지하철 세상

앞 사람은 핸드폰 보고 웃고
옆 사람은 꾸벅꾸벅 졸고
뒷사람 둘은 애정행각
나는 그들을 보고 있다

TV보다 더 재미난 세상

# 말 말 말

소문은 천리까지 달려가
말은 입도 있고
귀도 있고
다리도 있어

말 달린다 쉿

# 오감 만족

지글지글 보글보글 치익치익
천상의 소리
코와 혀를 이간질하는 향을 맡으니
몸의 세포들이 살사 춤을 춘다
요리는 오감 만족이다

# 술

잔 하나에 사랑
잔 하나에 우정
잔 하나에 울고 웃고
잔 하나에 세상사가 있다

코가 삐뚤어지도록, 건배

# 어른

아는 척
안 힘든 척
안 아픈 척
배 안 고픈 척

척하다 세월 다 갔다

# 퇴근길

고된 하루의 끝
해방의 시간
몸은 아파 허우적대지만
마음엔 하얀 달이 뜬다

오늘 하루도 수고했어

# 쌍둥이

손들면 같이 손들고
웃으면 따라 웃고

이젠 헷갈려
내가 너인지
네가 나인지

# 이별 통보

어둠아, 이젠 그만 헤어져
네가 지겨워졌어
넌 너 갈 길 가

난 둥근 해 만나러 갈래

# 두 발

무거운 나를 끌고 다니느라
여기저기 뛰어다니느라
쉴 틈 없는 널 위해

포근포근 무지개색 옷 입히고
이쁜 집도 줄게

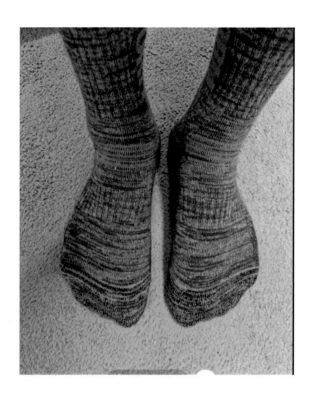

# 돈

얼른 내게로 오렴
차 사고 집 사고
울 엄니 마사지기도 사드리고
열 배로 네 몸값을 올려 줄게

참 좋지? 친구야

# 우리 엄니

자식 걱정에 주름이 하나, 둘
돈 걱정에 흰머리 하나, 둘

반백 년 쉼 없이 달리느라
꼬부랑 노인이 되셨지만

엄니 눈은 우주를 다 품은 사랑이다

# 바다 엄마

바다는 엄마다
바다는 햇살이다
바다는 우주 냉장고다
바다는 고향이다

나도 바다를 품은 엄마

# 그 시절

밥 먹듯 라면을 먹던 시절
마지막 국물 한 방울까지 들이키며
허기진 배를 채우던 시절

김치 하나에 라면 한 젓가락에도
까르르 웃던 그 시절

# 반려견

우리 집 막내로 들어온 지 어언 십 년
미동도 하지 않고 누워 있는 날이 더 많다

두루마리 휴지 다 풀어헤치던
말썽꾸러기 어린 날이 그립다

우리는 오늘도 같이 늙어 간다

# 갱년기

손바닥 뒤집듯 마음이 왔다 갔다
몸은 고장 난 시계가 된다

몸 따로 마음 따로 입 따로 한 지붕 세 가족이다

사춘기, 까불지 마
나한텐 쨉도 안 되거든?

# 치킨

바사삭 입에서 부서지는 천상의 소리
후라이드가 좋아? 양념치킨이 좋아?
물어보면 뭐 해?
그냥 치킨이 진리인데

아! 맥주 땡기는 날

# 당근

여: 자기야. 나 사랑해?
남: 당근이지

여: 나 이뻐?
남: 당근이지

여; 나 못생겼어?
남: 당근이지
여: 야, 당근으로 맞아볼래?

# 사랑과 우정

우정이는 가슴이 안 뛰어
사랑이는 가슴이 뛰어

우정이는 가슴도 안 뛰는데 내 옆에 남아
사랑이는 가슴만 뛰다 어느 날 사라져

그래도 사랑이는 사랑을 또 찾아다녀

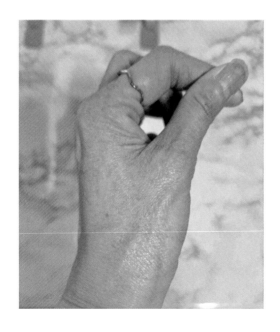

# 낙엽

초록의 꿈은 저 너머로 사라지고
빨갛고 노란 무늬를 남기며
발길에 밟히고 바람에 날려도 좋아

또 다른 환생을 기다리니까

# 고등어

울 아부지 나 왔다고
빨랫줄에 배 갈라 널어놓은 고등어 두 마리
통통하게 오른 고등어살을 쌀밥 위에 얹어
입에 넣으니

윤기 차르르한 바다 향
울 아버지의 사랑에 목이 메인다

# 어스름

낮과 밤의 바통 터치
모든 게 차분해지는 시간

악쓰고 용쓰는 목소리를 내려놓고
악수하고 화해하고 용서하자

그리고 사랑하자

# 손

손을 잡으면 그 사람이 보여
그 사람의 심장이 내 가슴에 파도를 일으켜
쿵 쿵 소리를 내
손이 말해 준다

이 사람은 진짜라고

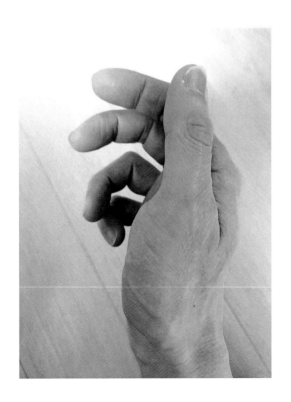

# 휴식

발 아프지?
어서 와서 쉬어

머리 아프지?
여기 와서 쉬어
언제든 네 편이 되어줄게

# 노안

선명하던 글씨가 지렁이로 변하고
안개처럼 멀어져 간다

돋보기안경을 써 보니 완전 신세계
노안아, 미안해!

이제 받아들일게

# 다 보여

머리 안 감은 날
민낯을 드러내기 민망해서
모자 눌러 쓴다

남들이 모르는 줄 알지?

# 갈등

참새: 갈대야, 안녕?
억새: 난 억세게 억센 억새란다
갈대: 난 갈 데까지 가본 갈대란다

참새: 어디로 내려앉지? 억수로 갈등 때리네

# 순간 이동

지상에서 하늘로 오르면
모두 우주인이 되고
순간 이동 마법사가 된다

잠에서 깨고 보니 이미 딴 세상

# 시간 여행자

나 LA 간다
지구 반대편이야

시간이 거꾸로 흘러
17시간 전으로

난 과거로 가는 시간 여행자

# 기내식

등과 뱃가죽이 1밀리미터로
달라붙을 즈음

인도 향이 풀 풀 나는 카레 라이스
내 위가 손님을 맞이해 경배하는 시간

# 시인의 글

사랑한다고 쓰면
네가 사랑스러워지고
보고 싶다고 쓰면
네가 보고프다

수백 번 고쳐 쓰다 몽당연필이 되었다

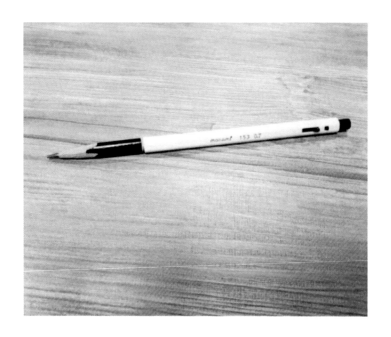

# 배 예찬

바다 위 배에 올라
바닥에 배 깔고 누워
배 한 입 베어 물으니
배시시 행복의 미소가 떠오른다

# 똥강아지

아장아장 기어 다니는 아기는 똥강아지
집 오면 꼬리 흔들며 반기는 강아지도 똥강아지

똥 냄새마저 향기로운 똥강아지

# 계란찜

뜨거운 뚝배기 그릇에
온몸을 지져 화상 당한
계란족의 후예여

인간의 입속으로 돌진하자

# 주차장

세상 끝까지 전속력으로 달리다
지쳐 쓰러진 몸을
받아 줄 이가 있으니

비로소 인생의 쉼표를 찍는다

# 다방 커피

어제의 달달한 추억 두 스푼
오늘의 짜디짠 눈물 두 스푼
내일의 심쿵심쿵 설렘 두 스푼

둘 둘 둘 다방 커피 한잔하실래요?

# 동반자

10시간의 비행 후 LA에도
땅끝마을 해남에도
푸른 물결 넘실대는 제주에도

왜 자꾸 따라오니?

# 뼈 해장국

뼈 사이사이 고기를 쪽쪽 빨아먹고
뜨끈한 국물에 깍두기 얹어
밥 말아 먹으니
땀방울이 이마에서 춤을 춘다

여기, 라면 사리 하나 추가요.

# 신호등

인간들아
빨강 노랑 녹색만 바라봐
선 넘지 말라

피 같은 돈 날아간다

# 하늘사다리

비의 눈물을 닦아 주려고
어여쁜 일곱 빛 색동저고리 입고
하늘사다리 타고

사뿐히 내려온다

# 쿠르즈 여행

순이가 난생처음 맛보는 달팽이 요리
미각이 열리고
트레이시 눈앞에서 펼쳐진
맘마미아 공연에 마음 열리고

순이, 트레이시, 마키코가 라인댄스로
하나 되는 세상

다리 떨릴 때 가지 말고
마음 떨릴 때 떠나라

# 바보

바보가 바보에게
바보라고 하면
바보가 바보라고 알아듣니?

이 바보야!

# 후생

울 엄니, 울 아부지
아낌없는 나무가 되어주셔서 감사합니다

다음 생에는
제가 울 엄니, 울 아부지의
아낌없는 나무가 되어 드릴게요

## 절친

너는 나의 닻처럼
함께 걸어온 그 길을 기억해
우리의 이야기는 끝이 없어

손잡고 눈물 흘리고 웃던 이곳에서
아름다운 추억을 영원토록 그려 나가자

오빠

태산을 품은 눈으로
모든 걸 내어주는 키다리 아저씨 같은 오빠가
모래알처럼 많은 흰 머리카락과
하회탈이 되어가는 눈매가

이제 아부지를 닮아 간다

# 불금

한 주일의 고단함이 사르르 녹는 시간
독불장군 이 부장님의 막말
안하무인 김 실장님의 가스라이팅
삼겹살과 술 한 잔에 우주 밖으로 날려 보내자

술과 함께 익어가는 불금

# 감기

정신이 몸에서 이탈해 허공에 떠돈다
강아지 똥 내음조차 그립다

소리조차 삼켜버린 붙어버린 목구멍
감기와 동행하며 지금은 묵언 수행 중

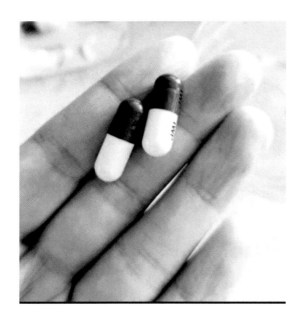

# 추억 도시락

어릴 때 젓가락 들고, 선생님이 말했지
도시락 반찬 나눠 먹자고

엄마가 싸 주신 외로운 김치 쪼가리
부끄러운 마음 들킬까

양은 도시락통 안에 코를 박았지

# 봄

매서운 추위에 퍼렇게 물든 얼굴이
냉이 된장국, 봄 달래 무침으로

입 안 가득 봄 봄 봄
봄꽃이 활짝 피었다

## 불안증

이거 하다 저거 못해 안절부절
계획대로 안 되는 인생
이리저리 뛰다 넘어져 까진 무릎
불안해하지 마

내 맘대로 안 되는 게 인생

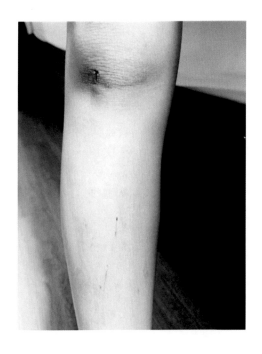

# 도서관

책 친구들 축제에 초대받는다
잉크 향, 나무 향에 취하고
바스락 책장 넘기는 소리, 또 한 번 취한다

너의 이야기에 내 마음은 천 리 길

# 미소꽃

꽃이 피듯
얼굴이 핀다

활짝 웃으니
인생도 핀다

# 좋은 게으름

뒹굴뒹굴 방바닥과 한 몸
넷플릭스 보다가 반나절이 지났다

그럼 좀 어때?
배터리 충전해야 내일을 달리지

# 귤꽃 향기

귤나무 한 그루 한 그루에
아부지 땀방울이 송글송글
귤꽃 한 송이 한 송이에
엄니의 고단함이 묻어 있다

세상에서 가장 향기로운 부모님 향기

# 동거

다른 두 세상이 만나니
따로국밥
가까운 듯 멀어지는
거리 밀당

# 마음 청소

마음에 먼지가 쌓인다
빗자루 걸레 잡고 쓱싹쓱싹

이마에 땀방울이 맺힐 때쯤
마음에 먼지가 사라진다

# 에필로그

쌀쌀한 초겨울 어느 날 늦은 오후, 따끈한 국물이 생각나 뼈 해장국집에 들어갔어요. 배가 고파서 뚝배기 그릇의 묵직한 고기 뼈 하나를 들었죠. 뼈 사이사이에 난 고기를 쪽쪽 빨아먹었습니다. 간이 적당히 밴 짭조름한 고기 맛에 정신없이 뼈 하나를 후딱 해치웠죠. 다음 단계로 뜨끈한 국물에 모락모락 김이 나는 하얀 쌀밥을 말아 깍두기 척 얹어 먹었어요. 얼어붙은 몸이 풀리면서 행복 에너지가 온몸을 감싸는 느낌이 들었어요.

만원도 아닌 구천 원의 행복이었습니다.

행복은 그냥 느끼는 겁니다. 내 몸이 내 마음이 좋아하면 그게 행복이죠. 이런 행복한 마음을 글로 쓰니 시 한 편이 나오더라고요.

행복에는 조건이 붙지 않아요. 내가 600평짜리 저택에 산다면? 10억이 생긴다면? 사업장 연 매출이 두 배로 뛴다면? 이런 조건부에는 반드시 치러야 할 대가와 희생이 따르고, 설사 이루어진다고 해도 또 다른 조건을 붙여 행복을 자꾸 미루게 되죠.

50대 중반까지 살아 보니, 지금 여기, 이 자리, 이 모

습을 날 것 그대로 인식하고 온전히 느끼는 것, 이것이 행복으로 가는 길이란 걸 깨달았어요.

지금도 이 글을 쓰면서 글을 쓸 수 있는 여유와 마음과 손가락이 있다는 게 얼마나 감사하고 행복한지 모릅니다.

행복은 이어달리기와 같다고 생각합니다. 제가 느끼는 행복을 여러분도 일상 속에서 날마다 매 순간 느끼기를 간절히 바랍니다. 그 행복을 또 다른 누군가에게 전달한다면 행복 바이러스가 이어달리기처럼 이어지지 않을까요?

시집 출간이 처음인 저에게 여러모로 도와주시고 응원해 주신 백창희 작가님 깊이 감사드립니다.

감사합니다.